أَنا
سَأعودُ دائِمًا!

تَأْليفُ: سْتيف مِتْزِغِرْ • رُسومُ: جويْ أَلِنْ

JUV/E/ Ar FIC METZGER
Metzger, Steve.
Anā saʾaʿud dāʾiman

SO-AHO-818

Text copyright © 2002 by Steve Metzger.
Illustrations copyright © 2002 by Joy Allen.
First Printing, September 2002.
All rights reserved. Published by Scholastic Inc.,

SCHOLASTIC, and associated logos and designs
are trademarks and/or registered trademarks of Scholastic Inc.

No part of this publication may be reproduced in whole or in part, or stored in a
retrieval system, or transmitted in any form or by any means, electronic, mechanical,
photocopying, recording, or otherwise, without written permission of the publisher. For information
regarding permission, write to Scholastic Inc., Attention: Permissions Department, 557 Broadway, New
York, NY 10012.

ISBN 978-0-439-86400-8

First Arabic Edition, 2006. Printed in China.

1 2 3 4 5 6 7 8 9 10 62 09 08 07

R03236 61682

اَلغُرْفَةُ رَقْمُ ٥

سَوْفَ نَنْطَلِقُ إِلى الْمَدْرَسَةِ،
وَنَقولُ وَداعًا عِنْدَ الْبابِ.

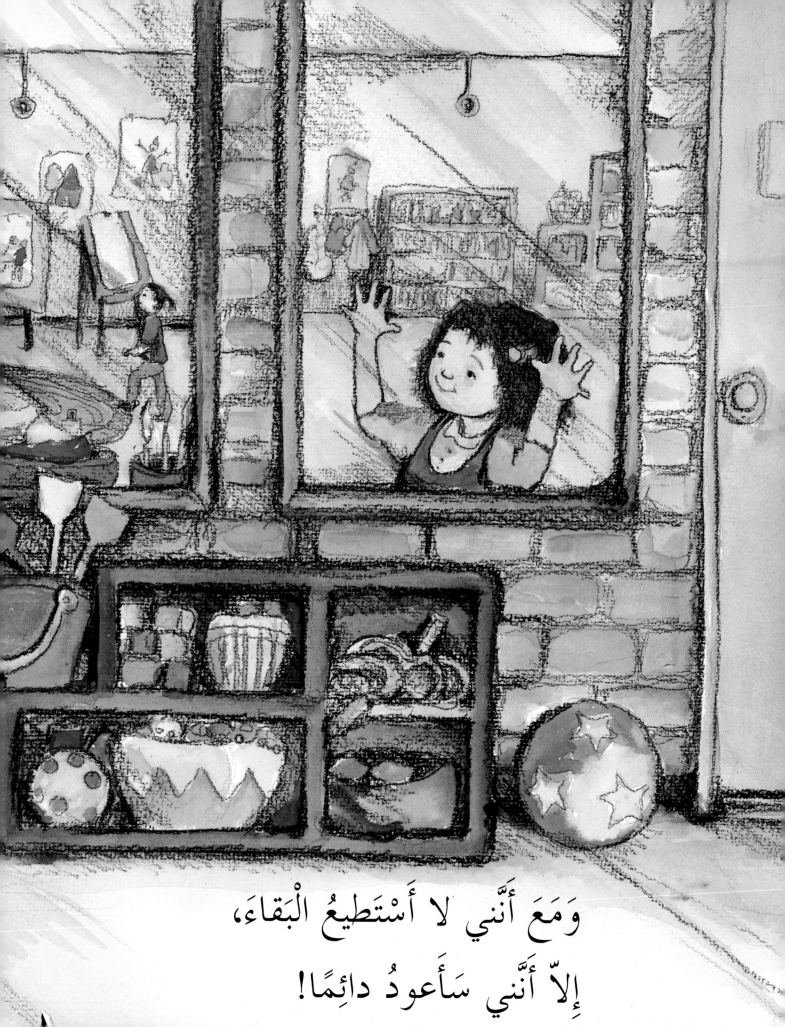

وَمَعَ أَنَّني لا أَسْتَطيعُ الْبَقاءَ،
إلاّ أَنَّني سَأَعودُ دائِمًا!

طحين
سُكر

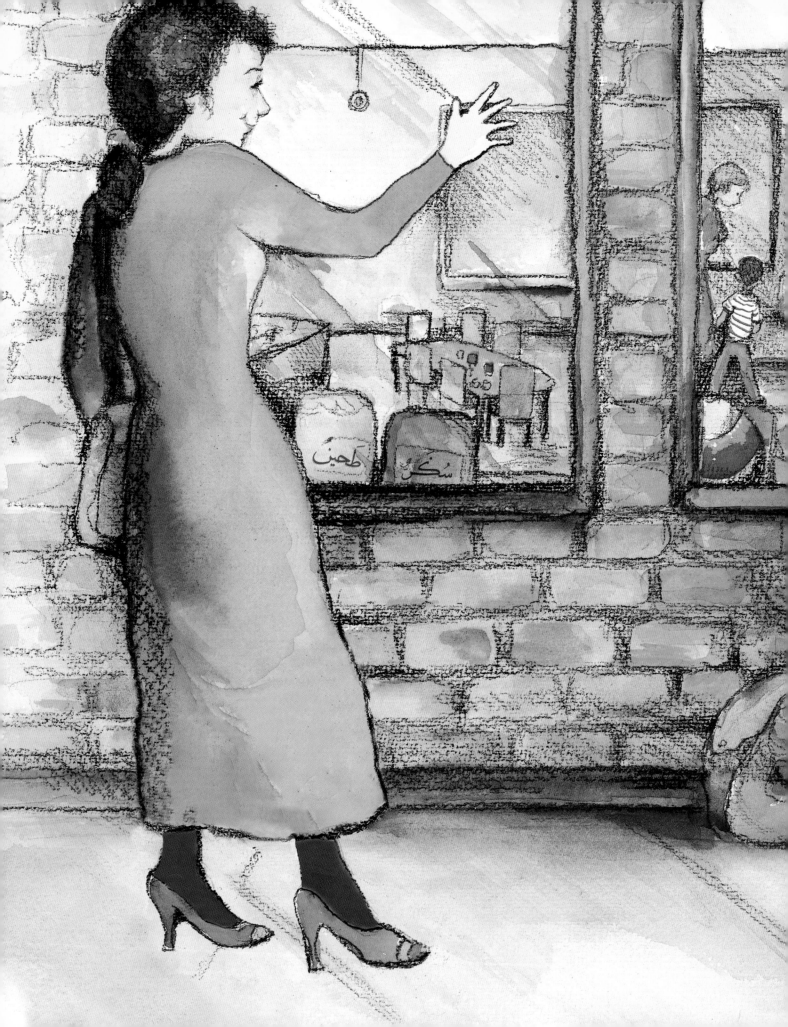

أَنْتِ تَلْعَبينَ مَعَ أَصْدِقائِكِ —
تَرْكُضينَ، وَتَقْفِزينَ، وَتَتَسَلَّقينَ.

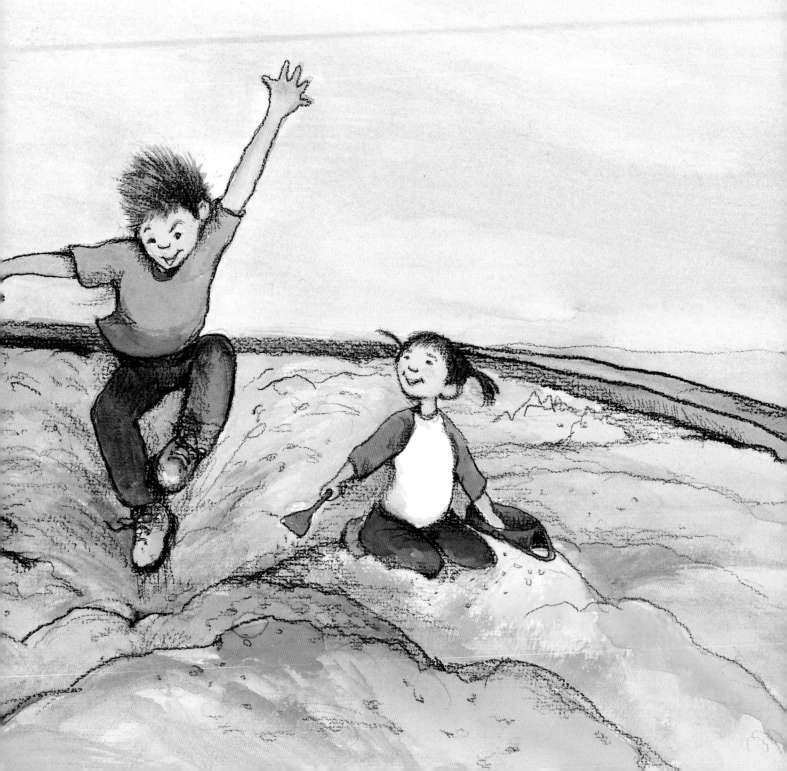

أَنْظُرُ إِلى صورَتِكِ،
وَأَنا جالِسَةٌ إِلى مَكْتَبي.

إِذا وَقَعْتِ، أَوْ أُصِبْتِ بِأَذًى،
فَسَوْفَ تُساعِدُكِ مُعَلِّماتُكِ،
وَحينَ يَنْتَهي وَقْتُ الدَّرْسِ،
سَأَعودُ إِلَيْكِ.

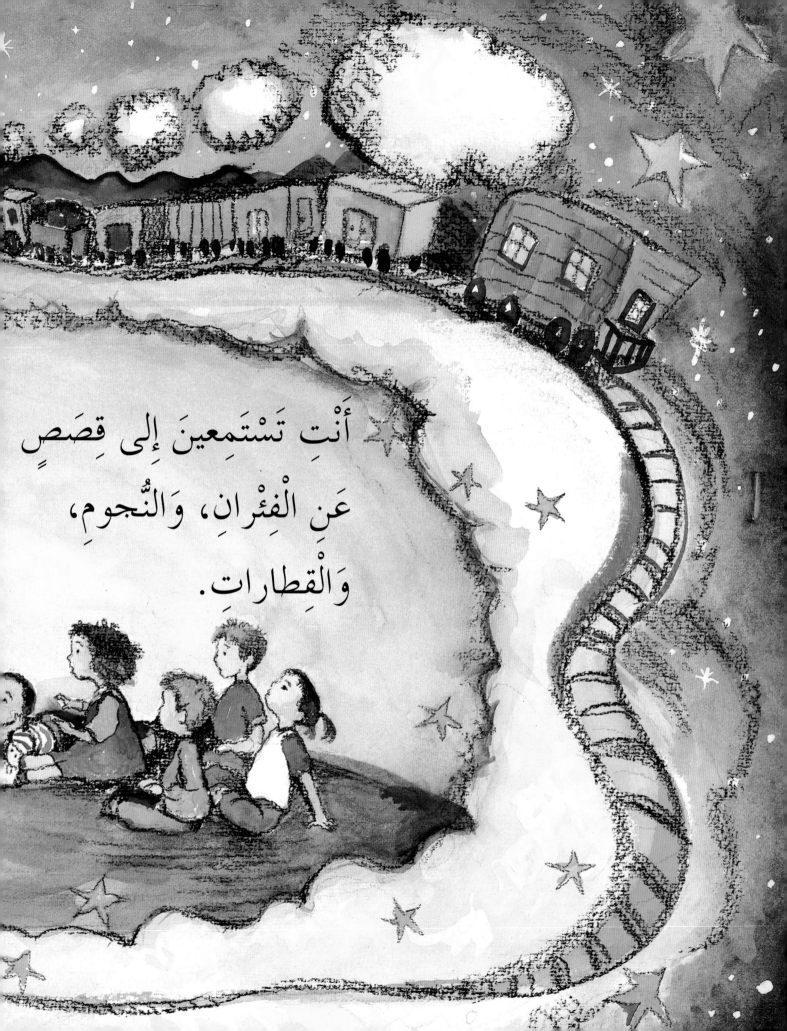

أَنْتِ تَسْتَمِعينَ إِلى قِصَصٍ
عَنِ الْفِئْرانِ، وَالنُّجومِ،
وَالْقِطاراتِ.

وَيَقْرَأُ لَكِ والِدُكِ، مَساءً،
وَأَنْتِ مُمَدَّدَةٌ عَلى السَّريرِ.

طَحينٌ
سُكّرٌ

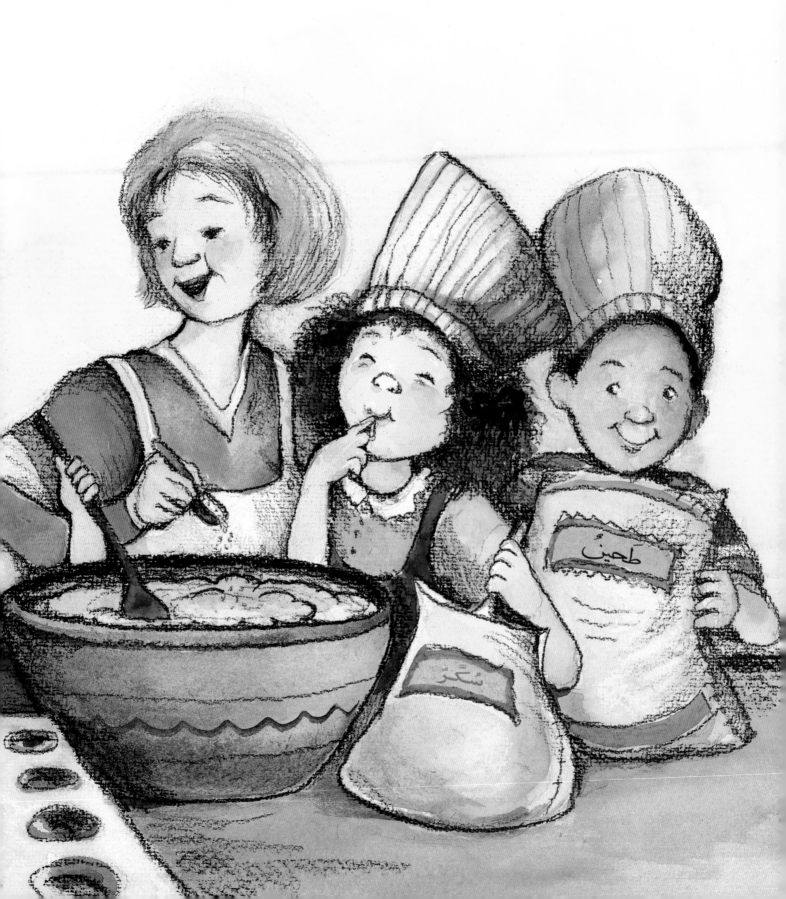

فِي الْمَدْرَسَةِ، تَصْنَعينَ الْخُبْزَ،
وَفَطائِرَ الْحَلْوى، أَيْضًا.

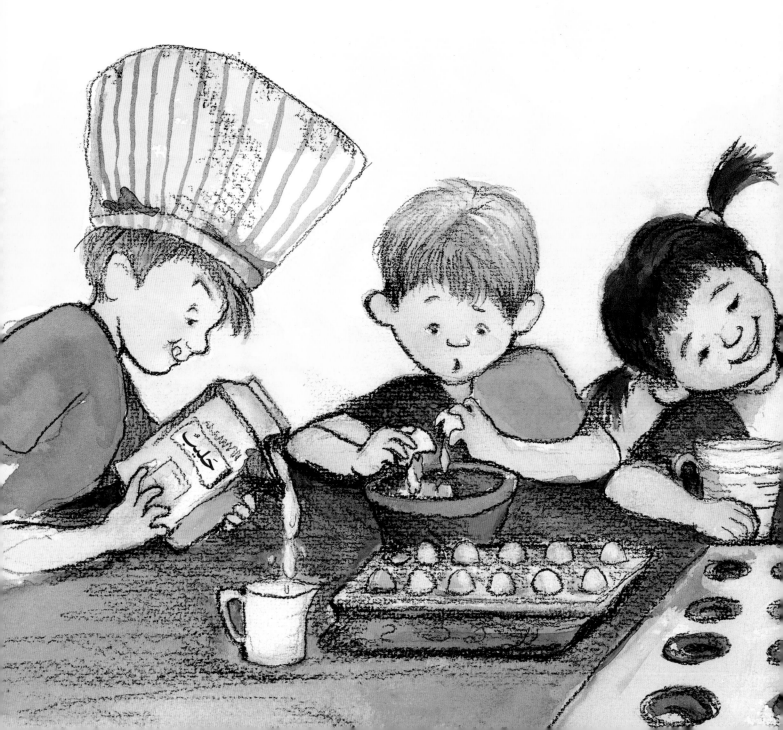

سَنَتَحَدَّثُ عَنْ كُلِّ هذا.
فَأَنْتِ تَعْرِفينَ أَنَّني سَأَعودُ!

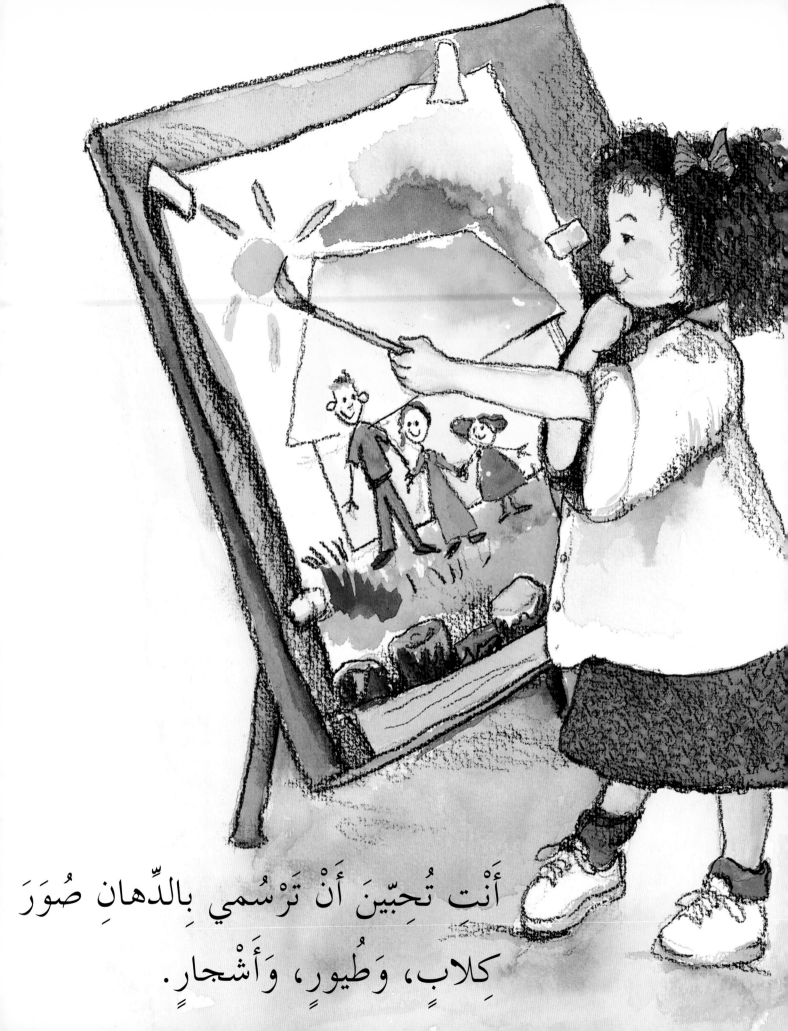

أَنْتِ تُحِبّينَ أَنْ تَرْسُمي بِالدِّهانِ صُوَرَ
كِلابٍ، وَطُيورٍ، وَأَشْجارٍ.

وَأَنا، حينَ أَجْلِسُ إِلى مَكْتَبي
وَأَرْسُمُ، أُفَكِّرُ فيكِ.

حينَ تَلْعَبينَ بِالرَّمْلِ،
تَحْفِرينَ عَميقًا، وَعَميقًا، وَعَميقًا،
كَحُبّي الْعَميقِ لَكِ.
أَنا سَأَعودُ دائِمًا!

عِماراتُكِ مِنَ الْمُكَعَّباتِ
تَرْتَفِعُ عالِيًا في الْهَواءِ،
تَمامًا كَما تَرْتَفِعُ عِمارَةُ مَكْتَبي
حَيْثُ أَعْمَلُ في وَسَطِ الْمَدينةِ.

أَنْتِ تَصْنَعينَ الأَفاعِيَ وَالأَرانِبَ
بِالْمَعْجونِ الطَّرِيِّ.
وَأَنا في شَوْقٍ إِلى رُؤْيَتِكِ.
نَعَمْ، سَأَعودُ قَريبًا!

مَعجونُ
مَعجونُ

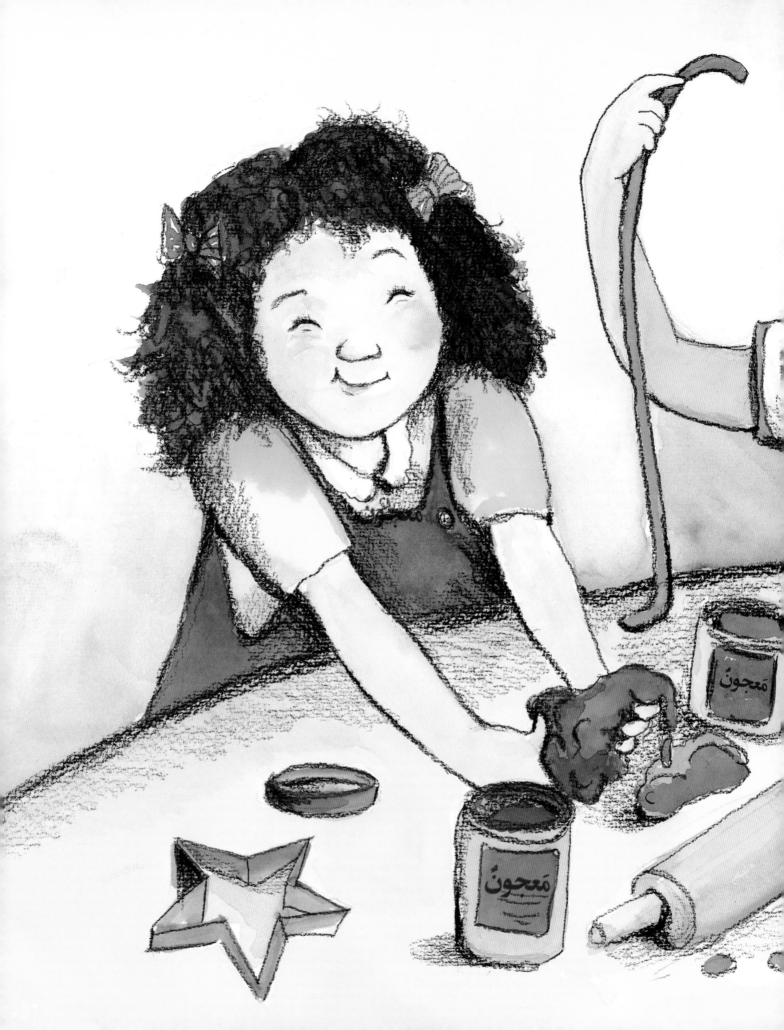

في لُعْبَةِ الصُّوَرِ الْمَقْطوعَةِ تَسْلِيَةٌ،

إِذا ساعَدَتكِ صَديقَتكِ.

أَصْدِقائي يُساعِدونَني أَيْضًا،

إِذا كانَ لَدَيَّ عَمَلٌ أَقومُ بِهِ.

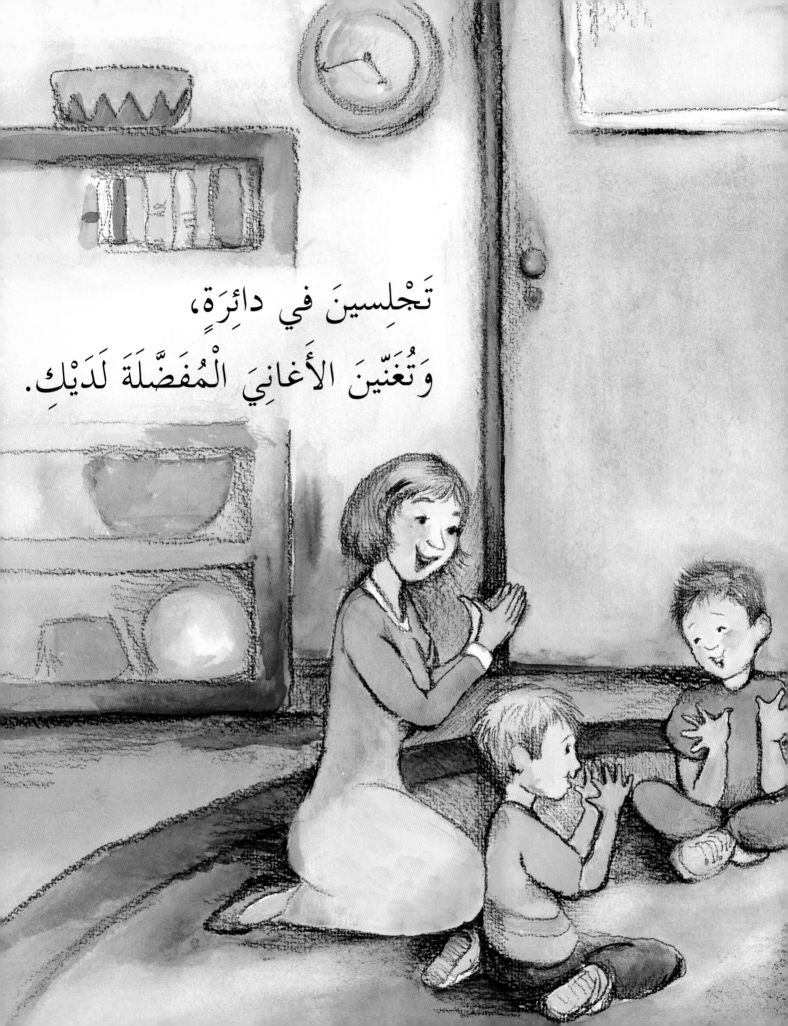

تَجْلِسينَ في دائِرَةٍ،
وَتُغَنّينَ الأَغانِيَ الْمُفَضَّلَةَ لَدَيْكِ.

DISCARD

أُحِبُّكِ كَثيرًا، وَ...
أَنا سَأَعودُ دائِمًا!